LA FÁBULA COMO GÉNERO LITERARIO

Texto académico
desarrolllado por la **Prof.ª Sylvia Mejía**
Asesora de Currículo

ilustrado por
Raquel Welin

www.cbhbooks.com

Managing Editors: Yanitzia Canetti and Francisco Fernández
Designer: Roderick Morales
Illustrator: Raquel Welin

Published in the United States by CBH Books.
CBH Books is a division of Cambridge BrickHouse, Inc.

Cambridge BrickHouse, Inc.
60 Island Street,
Lawrence, MA 01840
U.S.A.

Library of Congress Catalog No. 2006018354
ISBN 1-59835-017-X
First Edition
Printed in Canada
10 9 8 7 6 5 4 3 2 1

A todos los niños de América

y a los que saben compenetrarse con la

esencia del saber

No retengas el bien de aquéllos
a quienes se les debe, cuando sucede
que está en el poder de tu mano hacer[lo].

—*Proverbios* 3:27

Índice

Introducción 9

Al estudiante 11

¿Qué es la fábula? 13

Fábulas ejemplares 15

El ciervo que se veía en el agua 17

El asno vestido con la piel de león 21

La gallina de los huevos de oro 23

La viuda y las criadas 25

La liebre y la perdiz 29

La zorra y el cuervo gritón 33

El perro y el pedazo de carne 37

El ciervo y el potro de Aristóteles 39

El avariento y el envidioso 41

La mona y sus hijos 45

El vaquero y el león 49

La zorra y el busto 51

Bibliografía 53

Claves para la interpretación de las fábulas 55

Introducción

Entre otros géneros literarios, tales como el cuento, la novela, el drama, la poesía y la oratoria, se encuentra la fábula. A pesar de que ésta es, al igual que los otros, un género literario, se distingue bastante de los demás. Todo buen libro persigue a lo sumo destacar una enseñanza o revelar un principio. La fábula pretende destacar un fin moral, pero por excelencia, frente a otros que pueden también hacerlo.

Quizás llame la atención la participación de animales, que casi siempre están presentes en la fábula: recurso literario llamado ***personalización.*** Ellos juegan un papel muy importante en el relato. El autor presenta, por su intermedio, cualidades propias de los seres humanos en las cuales sus conductas se condenan o se ensalzan. Por eso es que una fábula se define, básicamente, como un relato en prosa o en verso que oculta una enseñanza moral bajo el velo de la ficción.

Muchas de estas enseñanzas, como hemos dicho, se manifiestan a través de acciones de animales; pero el autor desea que nosotros descubramos esta cualidad. Si es una virtud, la fábula se preocupa por crear en los lectores un interés por cultivarla.

Esta serie de fábulas que se ofrecen para divertir y enseñar al lector servirán, además, como un acicate para el desarrollo de la personalidad y cultura de quienes las interpreten en profundidad y las disfruten plenamente.

AL ESTUDIANTE

A continuación te ofreceremos una breve pero interesante colección de fábulas. En ellas encontrarás deleite y sabiduría. ¿Sabes qué es una virtud? Son todas aquellas cualidades que posee una persona que la distinguen por su amor y desinterés por los demás.

¿Sabes lo que es el amor, la paz y la benignidad? Son buenas cualidades que todos deberíamos esforzarnos por cultivar. La palabra virtud se define como la disposición constante del alma que nos incita a obrar bien y evitar el mal.

Hay cualidades —negativas— que, aunque muchos se esfuerzan en cultivarlas, no son de gran provecho. El orgullo, el odio, la maldad, el egoísmo, la soberbia, la vanidad, la envidia, la pereza, la impaciencia, la falsa apariencia, el engaño, la burla, la ambición, ir en busca de sus propios intereses y no del bienestar de los demás, se consideran, entre otras, como las contrapartidas de las virtudes.

Como ves, amigo lector, la lista podría ser mucho más extensa. Cuídate de no imitarlas. Resultarían en tu propio perjuicio. Te harían mucho daño, oscureciendo tu vida, en vez de iluminar tu sendero de estudiante, que es tu propio futuro y tu bienestar.

Cultiva, pues, aquellas virtudes que no te causen tormentos ni pesadillas. Trata de que tu vida transcurra en la paz y el amor; pero que ese amor sea capaz de producir frutos. Practica el amor ágape, el amor sin distinción de condición social. Como se diría hoy, sin discriminaciones. No es fácil lograrlo, pero tras un adecuado estudio y con el deseo sano de superarte, sin duda podrás alcanzarlo y escalar peldaños de dicha sin fin.

¿QUÉ ES UNA FÁBULA?

La fábula no es solamente un género literario didáctico con un fin moralizador, sino también muchas veces se le considera un género satírico destinado a fustigar los vicios y defectos de la sociedad. Este género pretende enseñarnos a cultivar las buenas virtudes.

En Francia se destacó la figura de Juan de La Fontaine quien, por sus habilidades de escritor moralizador que se valía de la fábula, fue considerado como el padre de la fábula.

De La Fontaine nació en Chateau-Thierry, Champaña, el 8 de julio de 1621. Pasó por la vida dulcemente, admirado y querido por sus contemporáneos como un exquisito poeta y hombre de bien, noble y generoso como la obra que lo inmortalizó. Murió en París el 13 de abril de 1695.

Al igual que de La Fontaine en Francia, Esopo, en la antigua Grecia, escribió fábulas para nuestro deleite e información (s. VII–VI a.C.). Primeramente fue un esclavo; luego liberto y, más tarde, muerto por los habitantes de Delfos. Se atribuye al monje Planudes la redacción en prosa de sus fábulas.

Tomás de Iriarte (1750-1791), escritor español, es otro a quien se le adjudica gran fama como fabulista. Nació en Tenerife. Entre sus fábulas sobresalen: "El burro flautista", "La mona", "Los dos conejos", "El caballo y la ardilla", y otras.

Aristóteles, filósofo y pensador griego, concibe la fábula como la coordinación de una serie de actos o de hechos. Él establece la norma que estatuye que, para que una fábula esté bien constituida y surta efecto, deberá tener un punto de arranque, es decir, un inicio; luego un medio, o el cuerpo de la fábula, y una buena terminación o cierre, que se llama final. Todo esto, a su vez, deberá estar muy bien coordinado.

FÁBULAS EJEMPLARES

A continuación se te ofrece una breve pero interesante serie de fábulas para tu entretenimiento y provecho. Léelas cuidadosamente y analízalas. No olvides estudiar el vocabulario que se te ofrece para cada una de las fábulas, de modo que enriquezcas tus posibilidades expresivas.

FÁBULA NÚMERO 1

El ciervo que se veía en el agua

En el cristal de una fuente mirándose estaba un ciervo y admiraba la belleza de sus magníficos cuernos; pero pena le causaba ver de sus piernas lo luengo, cuya imagen se perdía de las aguas en el seno.

"¡Qué desproporción tan grande", pensaba con desconsuelo,"de mis pies a mi cabeza!".

"De los sotos más enhiestos la cima toca mi frente; nunca honor mis pies me hicieron."

Mientras así discurría lo hace partir un sabueso y en una selva intrincada va a refugiarse derecho.

Su cornamenta soberbia, bien quebradizo ornamento, lo detiene a cada paso y entorpece los esfuerzos de sus levísimas piernas que son auxilio supremo.

Al instante se retracta y maldice los renuevos que año por año en su frente puso generoso el cielo.

I. Estudia el siguiente vocabulario:

ciervo. Animal cuadrúpedo, mamífero rumiante de color pardo rojizo y de cuernos ramosos.
luengo. largo.
desproporción. Que no guarda proporción.
proporción. Disposición o correspondencia entre las cosas.
enhiestos. derechos, erguidos.
cima. Parte superior de la montaña.
discurría. pensaba.
sabueso. perro, can.
cornamenta. Conjunto de cuernos.
soberbia. Orgullo desmedido.
quebradizo. Fácil de quebrar.
ornamenta. adorno.
retracta. Vuelve atrás en lo dicho.
renuevos. Vástagos que echa el árbol después de la poda.

II. Contesta las siguientes preguntas:

¿Qué le sucedió al ciervo que miraba en el agua su figura?
¿Estaba satisfecho con su figura?
¿Qué nos enseña la fábula?
¿Qué cualidades descubriste en el ciervo?
¿Son buenas?
¿Te gustaría ser como el ciervo? Explica tu respuesta.

FÁBULA NÚMERO 2

El asno vestido con la piel de león

Con la piel de un león difunto cierto burro se vistió; y teniendo por doquiera, bien que animal sin valor, entre las gentes causaba la más grande turbación.

Una punta de su oreja por desgracia se asomó descubriendo la malicia, poniendo en claro su error.

Entonces Martín Garrote a cumplir fue su misión y los que el caso ignoraban advirtieron con terror que Martín en el Molino a los leones castigó.

I. Estudia el siguiente vocabulario:
doquiera. Por todos lados, en todas partes.
turbación. Confusión, perturbación.
malicia. Inclinación a obrar mal.
misión. Acción de enviar.
advirtieron. Comprobaron, observaron.

II. Contesta las siguientes preguntas:
Explica la fábula en tus propias palabras.
¿Qué aprendemos de esta fábula?

FÁBULA NÚMERO 3

La gallina de los huevos de oro

La avaricia pierde todo queriendo todo ganar. Para probarlo me basta contar la historia fatal del hombre cuya gallina, si es la fábula verdad, de poner un huevo de oro diariamente era capaz.

Creyó el hombre que en su cuerpo iba un tesoro a encontrar; la mató, la abrió y a todas las gallinas, la halló igual, perdiendo de tal manera de su fortuna lo más.

—Samaniego

I. Estudia el siguiente vocabulario:

avaricia. Apego desordenado a las riquezas.
capaz. Que puede contener o realizar alguna cosa.
oro. Metal precioso de mucho valor.
tesoro. Algo de mucho valor. Riquezas.

II. Contesta lo siguiente:

¿Por qué el hombre de la fábula mató y abrió todas las gallinas?
¿Qué cualidad poseía este hombre?
¿Qué piensas de esta cualidad?

III. Resume el contenido de la fábula en tus propias palabras.

FÁBULA NÚMERO 4

La viuda y las criadas

Érase cierta viuda que tenía dos camareras que, también, de tal modo hilaban, que a las Parcas sin duda superaban.

A cada cual la viuda repartía, sin cuidar de otra cosa, su tarea. Al primer rayo de la luz febea, entraban en continuo movimiento husos y tornos, sin que ni un momento cesaran de girar.

No bien lucía la luz del alba, un gallo miserable a cantar se ponía; mucho más miserable todavía, una enagua grasienta y detestable la vieja se abrochaba y encendiendo una lámpara, derecho a todo su correr se encaminaba hacia el modesto lecho donde durmiendo estaban, muy de veras, las dos desventuradas hilanderas.

Una de ellas, un ojo medio abría; un brazo, la otra, lánguida extendía y las dos, en extremo disgustadas, al gallo maldecían. Descontentas y entre dientes, ajustar ofreciéndole las cuentas, porque atentaba al sueño de las gentes.

Dicho y hecho: mi gallo fue atrapado y, vil despertador, estrangulado.

Pero este asesinato en ningún modo mejoró de las criadas la fortuna, y echó a perder, por el contrario, todo; pues no bien la pareja se acostaba, su patrona, importuna como duende, la casa recorría, creyendo que ya la hora se pasaba, y ninguno dormía.

—Esopo

I. Estudia el siguiente vocabulario:

camareras. sirvienta, criada.
hilandera. Persona que se dedica a hilar.
desventura. Sin ventura; mala suerte o desgracia.
Parcas. Tres deidades de los infiernos (Cloto, Laquesis y Atropos), dueñas de la vida de los hombres, cuya trama ***hilaban***. Llamadas, por los griegos, Moiras.
importuna. Que no es oportuna, que molesta.

II. Contesta lo siguiente:

Cuenta lo ocurrido con tus propias palabras.
¿Piensas que las muchachas actuaron bien? ¿Por qué?
¿Qué harías tú si te encontraras en la misma situación?
¿Qué aprendemos de esta fábula?

III. Escribe una oración con las siguientes palabras:

1. hilanderas
2. patrona
3. desventura
4. descontentas
5. miserable
6. recorría
7. lánguida
8. detestable
9. fortuna
10. criada

FÁBULA NÚMERO 5

La liebre y la perdiz

Una perdiz y una liebre, de un mismo campo habitantes, en un estado vivían muy tranquilas y sin azares; va por allí una partida y a la liebre correr hace hasta esconderse en su fuerte, sin que los perros la alcancen; pero se vende así misma por los espíritus acres que de su cuerpo se exhalan y al punto los perros baten.

Y, con un ardor extremo, la persiguen sin cansarse. Y así viene a su guarida a morir la miserable; y así la perdiz se burla: "De ser pronta como el aire te alabaste hace poco. ¿Dónde tus patas dejaste?"

En tanto que eso decía, le llega su voz al ave; piensa que serán sus alas de su libertad garantes; pero contaba la pobre sin el halcón de uñas grandes.

I. Estudia el siguiente vocabulario:

liebre. Mamífero parecido al conejo, muy corredor y de orejas muy largas.
perdiz. Ave gallinácea, de unos 40 cm de longitud.
azares. Sin peligros, sin estorbos.
espíritus acres. Sustancia incorpórea, malos olores.
exhalar. Despedir, arrojar.
guarida. Cueva o refugio donde se esconden o protegen los animales.
garantes. Que le dan seguridad, que garantizan.

II. Contesta lo siguiente:

Relata el contenido de la fábula en tus propias palabras.

¿Encontraste alguna enseñanza en esta fábula? ¿Cuál?

¿Consideras la burla como una virtud? ¿Por qué?

¿A cuál de los dos personajes de la fábula te gustaría imitar? ¿Por qué?

III. Selecciona tres de las palabras del vocabulario y escribe una oración con cada una de ellas. Indica el sujeto y el predicado. Circula el verbo.

FÁBULA NÚMERO 6

La zorra y el cuervo gritón

Un cuervo que había robado un pedazo de carne se posó en un árbol.

Lo vio una zorra y, queriendo apoderarse de la carne, púsose a ponderar sus elegantes proporciones y su belleza, añadiendo que nadie estaba mejor dotado que él para ser rey de las aves, cosa que hubiera logrado seguramente si hubiera demostrado tener voz.

El cuervo, queriendo demostrarle a la zorra que tampoco le faltaba voz, soltó la carne y se puso a dar fuertes gritos.

La zorra tomó la carne y le dijo: —Amigo cuervo, si además de vanidad tuvieras también algo de entendimiento, nada te faltaría para ser el rey de las aves.

I. Estudia el siguiente vocabulario:

cuervo. Pájaro carnívoro, de pico fuerte y plumaje negro.

ponderar. Celebrar mucho, alabar.

dotado. Provisto por la naturaleza con bienes o dones.

vanidad. Arrogancia, presunción, falsedad.

entendimiento. inteligencia.

II. Contesta las siguientes preguntas:

¿Qué enseñanza se desprende de esta fábula?

¿Cuál de los dos personajes es el más importante en ella? ¿Por qué lo crees así?

¿Puedes contarnos brevemente lo que ocurrió?

FÁBULA NÚMERO 7

El perro y el pedazo de carne

Cuando vadeaba un río, llevando un trozo de carne, un perro vio en el espejo de las aguas su imagen.

Creyendo que se trataba de la presa de otro perro, quiso arrebatársela.

Mas lo engañó su avaricia pues que no sólo soltó la comida de la boca, sino que tampoco pudo alcanzar la que deseaba.

I. Estudia el siguiente vocabulario:
vadeaba. cruzaba
imagen. Reflejo de un objeto en un espejo
presa. Cosa apresada. Animal capturado por otro.
avaricia. Apego desenfrenado a las riquezas.

***II. ¿Qué enseñanza se puede derivar de esta fábula*?**

III. Selecciona 5 palabras en la fábula (las que desees) y escribe una oración con cada una de ellas.

FÁBULA NÚMERO 8

El ciervo y el potro de Aristóteles

El ciervo arrojó, de los pastos que ambos poseían, al potro, menos vigoroso en la pelea; y éste, vencido tras largo combate, solicitó la ayuda del hombre, dejándose poner el freno; pero después de alcanzar la victoria sobre su enemigo, no pudo quitarse el freno de la boca ni echar al jinete de su lomo.

Enseñanza:

El que angustiado por la pobreza vende su libertad, que es más preciada que el oro, compra un amo que lo tendrá en perpetuo cautiverio, por no haberse reducido a lo indispensable.

I. Estudia el siguiente vocabulario:

arrojó. Hizo que se fuera. Expulsó.
potro. Caballo joven.
vigoroso. Fuerte.
jinete. Hombre que monta el caballo

II. Comenta la enseñanza de la fábula.

FÁBULA NÚMERO 9

El avariento y el envidioso

Dos hombres, entrambos despreciables, a causa de la envidia del uno, y la avaricia el otro, rogaban de continuo a Júpiter que se dignase a concederles, con benevolencia, sus anhelantes súplicas.

Respondió el dios que lo que otorgara al que fuese primero en pedir, eso mismo le daría, por duplicado, al segundo.

Echó entonces sus cuentas el avariento y pensó para sí: "Es muy probable que éste quiera riquezas. Me conviene, pues, invitarlo —como efectivamente lo hizo— a que pida antes que yo".

Mas el envidioso, que era un mal intencionado socarrón, pidió que le sacaran un ojo.

No hay para qué decir que al avaro le sacaron los dos.

—Esopo

I. Estudia el siguiente vocabulario:

entrambos. ambos. Los dos.

Júpiter. El padre de los dioses romanos. Para ellos es el Dios del cielo, de la luz diurna, del tiempo y de los rayos.

benevolencia. Simpatía y buena voluntad hacia las personas.

avariento. Que acumula dinero por el placer de poseerlo y no lo emplea.

socarrón. Burlón, taimado.

II. Contesta las siguientes preguntas:

¿Cuál de los dos hombres mencionados en la fábula crees que es más despreciable? ¿Por qué?

¿Podrías relatar lo ocurrido con tus propias palabras?

¿Qué aprendemos de esta fábula?

III. Selecciona tres sustantivos, empleados en la fábula, y escribe una oración con cada uno de ellos.

IV. Estudia la fábula. Escribe cinco palabras que estén en función de verbo. Derívalas de la fábula.

FÁBULA NÚMERO 10

La mona y sus hijos

Una mona, madre de dos hijos, que había puesto su corazón y su amor en uno de ellos, mientras miraba al otro con aversión, viose perseguida, cuando menos lo esperaba, por un cazador.

No sabiendo cómo escapar del peligro, se le ocurrió tomar en brazos al predilecto de sus entrañas, echándose al otro sobre la espalda.

Iban ya tan a su alcance los perros que, habiendo perdido casi por completo los sentidos, chocó contra una piedra y, sin que pudiera evitarlo su cariño maternal, quedó muerto en el acto el que ella más quería en este mundo, mientras que salió ileso y sin daño alguno el hijo de quien prescindía para todo y hasta odiaba.

—Esopo

I. Estudia el siguiente vocabulario:

aversión. Rechazo o repugnancia frente a alguien o algo.

entrañas. Muy querido, desde lo más interior.

cariño maternal. Amor de madre muy abnegado.

ileso. Que no ha recibido ninguna lesión o ni golpe.

prescindía. Abstenerse de algo, privarse, pasar por alto.

II. Contesta lo siguiente:

¿Qué aprendemos de esta fábula? ¿Por qué piensas así?

Si algún día fueras madre o padre, ¿harías lo mismo? Explica.

III. Señala el tiempo verbal en los siguientes casos:

1. había
2. ocurrió
3. salió
4. odiaba
5. esperaba
6. tomar
7. salir
8. correr

FÁBULA NÚMERO 11

El vaquero y el león

Ofrecióle cierto vaquero a Júpiter un cabrito, que le sacrificarí a si encontraba el sitio en donde, a no dudar, habrí an guardado los ladrones el becerro que le faltaba; pero al ver, por entre los árboles del bosque inmediato, que era el mismí simo león el que devoraba al becerro, cambiando la súplica exclamó, poseí do de gran terror:

Corrección:

sacrificaría habrían
mismísimo poseído

"¡Oh poderoso Júpiter! Cierto es que os había ofrecido un cabrito si me enseñabas al autor del robo; mas ahora te prometo un toro, si logro escapar de las garras del león."

—Esopo

I. Estudia el siguiente vocabulario:
vaquero. El que cuida del ganado bovino.
becerro. Cría macho de la vaca hasta que éste cumple uno o dos años.
devoraba. Comía con apetito, consumía.
garras. Pata del animal armada de uñas fuertes y corvas.

II. Contesta lo siguiente:
Relata el contenido de la fábula en tus propias palabras.
¿Qué enseñanza podemos sacar de esta fábula?

III. Pon la letra que falta en las siguientes palabras:
1. be_erro
2. ofre_ido
3. ca_rito
4. cam_iando
5. _ierto

FÁBULA NÚMERO 12

La zorra y el busto

Díjole la zorra al busto, después de olerlo:

—Tu cabeza es hermosa, pero sin seso.

—Samaniego

I. Estudia el siguiente vocabulario:

busto. Estatua de medio cuerpo.
seso. Cerebro, inteligencia.

II. Contesta lo siguiente:

¿Podrías explicar esta fábula?
¿Qué enseñanza se puede sacar de ella?

BIBLIOGRAFÍA

Jackson, W.M. "Sócrates". *Enciclopedia Clásicos Jackson.* Tomo I. 1.ª ed. 94.

Jackson, W. M. "Horacio". *Enciclopedia Clásicos Jackson.* Tomo IV. 1.ª ed. 340.

Jackson, W. M. "Esopo". Enciclopedia Clásicos Jackson. Tomo XXXVI. 1.ª ed. 346.

Esopo, "Fábulas griegas". *Enciclopedia Literatura Universal.* Vol. II. (1954).

Varios autores. "Fábulas árabes". *Enciclopedia Literatura Universal.* Vol. III. (1954).

de Iriarte, T. y de Samaniego, F. M. "Fábulas españolas". *Enciclopedia Literatura Universal.* Vol. IV. (1954).

Claves para la interpretación de las fábulas

FÁBULA # 1

Siempre despreciamos lo útil, siempre admiramos lo bello y lo bello muchas veces nos destruye. Nuestro ciervo odia sus patas que le son útiles y ama sus cuernos que no le sirven para nada.

FÁBULA # 2

En el mundo hay muchas personas como este seudo león, cuya bravura sólo consiste en su aspecto feroz.

FÁBULA # 3

Esta fábula condena la codicia. ¡Cuántos he visto cambiar de muy ricos a muy pobres porque ambicionaban más!

FÁBULA # 4

Suele así suceder frecuentemente que, pensando salir de algún mal paso, en otro nos metemos hondamente. Puede servir de ejemplo para el caso, esa infeliz pareja que se libró del gallo y que cayó en manos de la vieja.

FÁBULA # 5

Nunca se debe hacer burla de las gentes miserables pues, ¿quién puede estar seguro de una dicha perdurable?

FÁBULA # 6

En esta fábula se condena la pobreza de entendimiento. Debemos actuar con sabiduría.

FÁBULA # 7

No debemos dejar lo que tenemos seguro por lo que no sabemos si habremos de poseer. La avaricia es condenada.

FÁBULA # 8

El que angustiado por la pobreza vende su libertad, que es más preciada que el oro, compra un amo que lo tiene en perpetuo cautiverio, por no haberse reducido a lo indispensable.

FÁBULA # 9

Si es mala la avaricia, no habrá quien tenga por buena a la envidia.

FÁBULA # 10

Es injusto, cuando todos son buenos, el que los padres prefieran a un hijo más que a otro.

FÁBULA # 11

Andamos siempre tras soñados bienes, pues si los alcanzásemos se tornarían, no pocas veces, en gravísimo daño.

FÁBULA # 12

Esta fábula condena la vanidad y el orgullo. Hay personas que quieren aparentar lo que no son escudándose tras la belleza.

De la presente edición:
La fábula como género literario
por la Prof.ª Sylvia Mejía
producida por la casa editorial CBH Books
(Lawrence, Massachusetts, Estados Unidos)
e impresa en los talleres poligráficos de Quebec,
Canadá, año 2006.
Cualquier comentario sobre esta obra
o solicitud de permisos, puede escribir a:
Departamento de español
Cambridge BrickHouse, Inc.
60 Island Street
Lawrence, MA 01840, U.S.A.